DEUX YEUX JAUNES

Nous remercions le Conseil des Arts du Canada ainsi que la Société de développement des entreprises culturelles du Québec (SODEC) pour l'aide accordée à notre programme de publication. Nous reconnaissons l'aide financière du gouvernement du Canada par l'entremise du Programme d'aide au développement de l'industrie de l'édition (PADIE) pour nos activités d'édition.

Le Loup de Gouttière
347, rue Saint-Paul
Québec (Québec)
G1K 3X1
Téléphone : (418) 694-2224
Télécopieur : (418) 694-2225
Courriel : loupgout@videotron.ca

Dépôt légal, 2ᵉ trimestre 2000
Bibliothèque nationale du Québec
Bibliothèque nationale du Canada
ISBN 2-89529-018-0
Imprimé au Québec

Rollande Boivin

ROMAN

Illustrations Geneviève Côté

Les petits loups
Le Loup de Gouttière

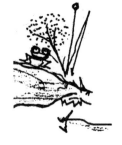

Pour tous les petits loups de la Terre pris dans le piège de la violence des grands.

Avec ma reconnaissance aux marraines-fées :
Anique Poitras, Céline Gingras
et Suzanne Séguin

CHAPITRE

— **S**im ! Où est passée Sim ? demande Charles en déposant sa canne à pêche.

— Elle doit être dans sa chambre, répond Solange.

Mais Sim n'est pas dans sa chambre. Pas du tout.

Pendant que ses parents s'installent tranquillement devant le téléviseur, Sim contourne les bâtiments. Elle pense : « J'ai neuf ans et mes parents me prennent encore pour un bébé ! Ils ont loué cette ferme pour les vacances d'été sans même m'en parler. » Elle jette un coup d'œil dans l'étable, dans la grange puis dans la bergerie.

— Vides ! Si au moins j'avais un chien, soupire-t-elle.

Les deux mains dans ses poches, Sim se dirige vers le boisé. Elle s'arrête près d'une talle de fleurs roses.

— Les kalmias à maman ! Vous êtes bien belles mais j'aimerais mieux une amie.

Elle frotte les tiges du bout de son soulier.

— J'ai eu envie de vous casser, leur dit-elle entre ses dents avant de s'éloigner.

Plus loin, elle marche sur un tapis de mousses vertes.

– Waou ! Quelle drôle d'éponge !

À chaque pas, le sol moelleux dégage des odeurs de terre et d'herbes mouillées. Sim plisse les narines en déclarant :

– Ça sent... l'aventure !

Sim tourne la tête pour repérer sa maison. « Voilà ! Je reviendrai en suivant la clôture du voisin. » Rassurée, elle entre dans le boisé. Plus elle marche, plus les arbres se tiennent serrés les uns les autres. Ils ont l'air de soldats qui bloquent l'entrée de la forêt et de ses secrets. Sim doit écarter leurs branches tout emmêlées pour pouvoir passer. Le ciel s'assombrit. « Je devrais peut-être rentrer... » pense-t-elle. Au même moment, une longue plainte lui chavire le cœur.

CHAPITRE

Jamais, jamais au grand jamais, Sim n'a entendu pareille lamentation. Elle frissonne. Elle a envie de courir pour se sauver mais en même temps, elle est trop intriguée.

– Aouououououououou !

« Encore ! Il hurle ! » Sim avale sa salive avec difficulté.

– Aouououououououou !

– Ah non ! Pas encore ! murmure Sim en tremblant.

Malgré la peur qui grouille dans son ventre, elle s'approche de l'endroit d'où vient l'appel. Sim s'abrite derrière un sapin touffu. Soudain elle aperçoit... deux yeux jaunes !

Tout autour, Sim entend des bruits étranges. Les arbres craquent. Des ailes la frôlent furtivement. « Ouille ! Ouille ! » frémit Sim. Elle ramasse son courage, s'agenouille et rampe vers deux petites lumières jaunes qui brillent près d'un arbuste.

« Oh ! » s'exclame-t-elle en découvrant un bébé loup qui essaie de libérer sa patte d'un piège de métal rouillé.

– Pauvre petit ! lui dit Sim. Pauvre petit ! Je ne vais pas te laisser là. Qui t'a fait ça ?

Affolé, l'animal tire sur le piège. «Il va s'arracher la patte» pense Sim. Elle s'éloigne un peu du louveteau et lui murmure dans un souffle :

– N'aie pas peur Petit Loup. N'aie pas peur.

Le bébé loup ne hurle plus. Il lève la tête vers Sim. Alors, elle s'approche et touche le piège en regardant le petit animal dans les yeux. Il ne bouge pas. Elle essaie de lever le carcan d'acier.

– Trop difficile ! marmonne Sim en se relevant.

Elle dit encore à Petit Loup :

– Pas peur. Pas peur. Attends. Je vais t'aider. Confiance !

Petit Loup regarde Sim s'éloigner et recommence à geindre.

- Ahouououououououou !

Sim tourne en rond. Elle ne sait vraiment pas où aller. Dans la forêt, tout s'est coloré de brun. De partout sortent des gémissements, des cris, des hululements.

« Ce n'est pas rassurant ! » pense-t-elle. Les arbres pointent vers le ciel des doigts menaçants. Sim lève la tête et bute sur une grosse branche. « Ouille ! Ouille ! » Elle se penche, la ramasse.

— Avec ça, je vais débloquer le piège, se dit-elle.

Elle tire sur sa trouvaille et s'arrête pile.

– Où est-il maintenant le bébé loup ?

– Ahououououououououou !

– J'arrive Petit Loup, j'arrive !

Elle marche, rampe parfois sous les branches pour répondre plus vite à l'appel des deux yeux jaunes.

CHAPITRE

– **M**e voilà, chuchote Sim au louveteau.

Elle glisse la branche dans le piège en lui disant :

– Je vais libérer ta patte.

Il a l'air de comprendre. Il ne gémit plus. CRAC ! La branche casse. Sim essaie encore. Elle pousse son levier le plus loin possible et pèse de toutes ses forces.

– Han ! Han ! Han !

Le cercle de métal se soulève lente-
ment. Elle encourage le petit loup :

— C'est ça bébé ! C'est ça ! Ôte ta
patte !

Le loup libéré ne part pas. Il reste là à regarder Sim. Elle jette la branche au loin.

– Viens ! beau loup. Viens voir Sim !

Il s'avance en boitant. Sim le prend dans ses bras. Le petit loup tremble tellement qu'elle le repose aussitôt par terre. Elle enlève son chandail de laine et y enroule le bébé loup. Blotti près du cœur de Sim, le louveteau ne tremble plus.

CHAPITRE

« **O**ù est ma maison ? » se demande Sim. Dans le soir, une maison de bardeaux rouges et des bâtiments gris, cela ne se voit pas beaucoup ! Et la clôture du voisin a complètement disparu. Sim lève la tête. Les étoiles ont allumé le ciel.

– Vous êtes vraiment trop, trop loin, murmure-t-elle.

Elle en désigne une du menton et lui demande :

– Pourrais-tu descendre un peu ? Emmène tes sœurs. Accrochez-vous dans les arbres. Vous pourriez être des lampadaires. Des bons lampadaires pour éclairer mon chemin, me montrer la clôture du voisin et surtout ma maison. S'il te plaît. Regarde dans mes bras !

« **M**ais les étoiles sont sourdes et aveugles » pense Sim. Des larmes plein les yeux, elle se tourne vers son trésor :

— Petit Loup, Petit Loup, murmure-t-elle, nous sommes perdus.

Petit Loup ne répond pas. Il dort.

Sim frôle de son nez la fourrure. « Comme il est doux ! Comme il a confiance en moi ! » Sim cherche un endroit dans la forêt où les arbres sont clairsemés. Là où poussent les kalmias. Là où tout est moins noir.

Sim pleure. Les arbres s'agitent sur son passage. Elle s'accroche dans leurs branches. Des êtres invisibles s'agrippent à ses jambes. Des farfadets ? Des gnomes ?

– Ouille ! Ouille ! lâchez-moi ! supplie Sim.

Un monticule ! Sim grimpe avec difficulté en serrant Petit Loup sur son cœur. Un lac miroite sous les étoiles. Sim essuie ses larmes du revers de la main et regarde le ciel :

– Merci ! les étoiles. C'est un super-lampadaire !

Se penchant vers son trésor, elle lui explique :

– Petit Loup, nous sommes sauvés. Regarde le lac là-bas ! Papa et moi on y a pêché des truites. C'est tout près de la ferme.

Petit Loup ouvre les yeux et repose son museau sur le coude de Sim.

– Il comprend quand il veut, celui-là ! murmure Sim en riant de bonheur.

Sim marche d'un pas résolu puis s'arrête brusquement. « Mes parents ! Ils doivent s'inquiéter ! Et le loup, voudront-ils que je le garde ? » Elle reprend la route avec une crampe dans l'estomac. Comme si un crabe vivant s'était logé là.

– J'ai peur, dit-elle au louveteau. J'ai peur que mes parents ne veuillent pas de toi. Et puis, c'est trop tard parce que je t'aime, moi ! Penses-tu qu'ils comprendront ?

Petit Loup ne répond pas.

– Il répond quand il veut, celui-là ! grogne Sim.

Dans son ventre, le crabe pince.

CHAPITRE

Sim se faufile sous les branches des arbres. Entre ses bras, la chaleur de Petit Loup la réconforte.

– Tu dors ? murmure Sim.

Il ne bronche pas. Sim et Petit Loup sortent enfin de la forêt. Pas très loin, l'ombre des bâtiments se profile. Sim ne marche plus, elle vole au-dessus des mousses. Elle contourne la grange et aperçoit une fenêtre illuminée. La maison !

– **C**ourage Petit Loup, on y est. Surtout, continue de dormir.

Le louveteau ouvre un œil et regarde Sim.

Elle court, puis s'immobilise.

– Chut ! lui dit-elle. On rentre.

Sim ouvre et referme doucement la porte. Elle monte l'escalier sur la pointe des pieds. En haut, elle se retourne et crie :

– Bonsoir papa ! Bonsoir maman !
Je suis un peu fatiguée. Je vais me
coucher maintenant.

En bas, les parents sursautent. Charles lève la tête vers l'escalier pour demander à sa fille :

– D'où viens-tu comme ça ?

– Je me promenais…

– Mais il est tard ! Ta mère te croyait dans ta chambre.

– J'y vais papa, j'y vais.

– N'oublie pas de brosser tes dents ma belle, ajoute Solange.

CHAPITRE

Dans un tiroir de sa commode, Sim prend des bâtons de Popsicle. Ensuite, elle va chercher un rouleau de bandage dans l'armoire de la salle de bain.

– Je vais soigner ta patte, dit-elle au louveteau.

Il se laisse soigner comme un toutou en peluche. Sim sourit en le voyant si doux et si confiant. Contente de son travail d'infirmière, elle regarde la tête beige parsemée de poils bruns et caresse le museau.

– Tu es beau à croquer, dit-elle. Il te faut un nom. Comment vais-je t'appeler ?... Loup-Caramel !

– Aouh ! Aouh ! Aouh ! répond le louveteau.

D'en bas, sa mère demande :

– Qu'est-ce que c'est ? Qu'est-ce qu'on entend ?

– Oh ! rien, rien, maman. Je joue à la louve !

Sim pose le doigt sur le museau de Loup-Caramel en lui ordonnant :

– Chut ! Chut ! Chut !

– Aouh ! Aouh ! Aouh ! continue le louveteau.

– Ah ! tu as faim ?

– Aouh ! Aouh ! Aouh !

– Sim, as-tu fini de crier au loup ? demande Charles.

Penchée par-dessus la rampe de l'escalier, Sim demande :

– Papa ! Qu'est ce que ça mange un loup ?

– De la viande crue, répond son père en tournant brusquement la page de son journal.

Il est bien loin de se douter que Sim va descendre dans la cuisine, ouvrir la porte du réfrigérateur et dérober une boulette de steak haché pour nourrir un vrai-de-vrai loup !

Après le souper de Loup-Caramel, Sim l'installe sous les couvertures, avec elle, dans son lit.

Quelques instants plus tard, Solange entre dans la chambre pour embrasser sa fille et lui souhaiter une bonne nuit. Sim a juste le temps de rabattre le couvre-lit sur la tête de Loup-Caramel qui aussitôt proteste :

– Aouh ! Aouh ! Aouh !

Une forme étrange bouge sous les couvertures. Solange écarquille les yeux et s'exclame :

– Mais ! qu'est-ce que c'est ça ?

Très vite, Sim lève les draps, prend le louveteau et le présente à sa mère :

– C'est mon loup ! Je l'aime. S'il te plaît, maman. Je veux le garder.

– Charles ! appelle la mère en sortant précipitamment de la chambre de sa fille.

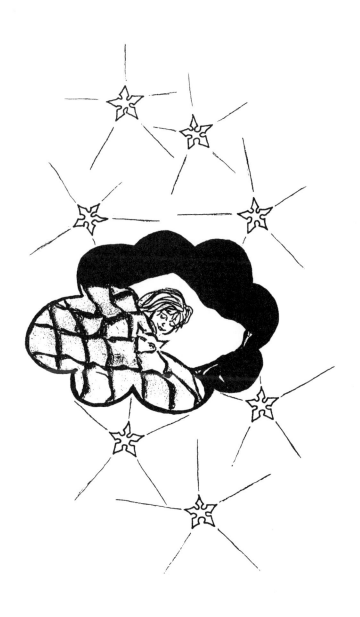

Sim se penche vers Loup-Caramel et lui chuchote :

– C'est la fin de tout. Mon père va m'obliger à te retourner dans la forêt. Je te perdrai pour toujours. Jamais, de toute ma vie, je ne me suis sentie aussi malheureuse.

Le petit loup ne bronche pas, ne proteste plus, il regarde Sim. Elle entend les pas de son père dans l'escalier. Soudain, les marches ne craquent plus. Charles demande à Solange :

– Que se passe-t-il ?

– Simone a un LOUP dans sa chambre !

– Un QUOI ? s'écrie le père.

Pour Sim, l'heure est grave. Très grave. Jamais sa mère ne l'appelle par son vrai nom. Sim, c'est un diminutif affectueux. Et son père n'élève pas la voix d'habitude.

CHAPITRE

– **P**apa, papa chéri, dit-elle en le voyant dans l'encadrement de la porte, écoute-moi ! Papa, toi tu chantes : *Tant qu'il y aura des étoiles… il y aura du bonheur…*

– Voyons Sim ! coupe son père. À quoi veux-tu en venir ?

– Aux étoiles, papa, qui se sont allumées au-dessus de ma tête et qui m'ont écoutée quand je croyais être perdue dans le bois avec un bébé loup dans les bras et…

– Voyons Sim ! l'interrompt encore Charles, les étoiles ne nous entendent pas.

– Mais ensuite, papa, les étoiles se sont posées au-dessus du lac, tu te rappelles ? Celui des truites ! Papa, est-ce que tu m'écoutes ?

Charles commence à siffler la chanson des étoiles et s'arrête pour demander à sa fille :

— Si je comprends bien, il y aurait du bonheur pour toi à t'occuper d'un bébé loup ?

D'un signe de tête, Sim acquiesce. Elle saute de joie. Loup-Caramel se promène clopin-clopant sur le lit. La petite attelle fabriquée par Sim est toute défaite.

— Je vais lui arranger ça, dit le père.

Charles s'agenouille pour refaire le bandage. Le louveteau se laisse soigner.

– Comme il est docile, dit Solange.

Elle tend la main pour lui caresser le dos et ajoute :

– Il doit bien avoir une mère, ce bébé-là !

Loup-Caramel dresse le museau. Ses prunelles jaunes brillent intensément.

Du boisé, monte un long, long hurlement.

TABLE

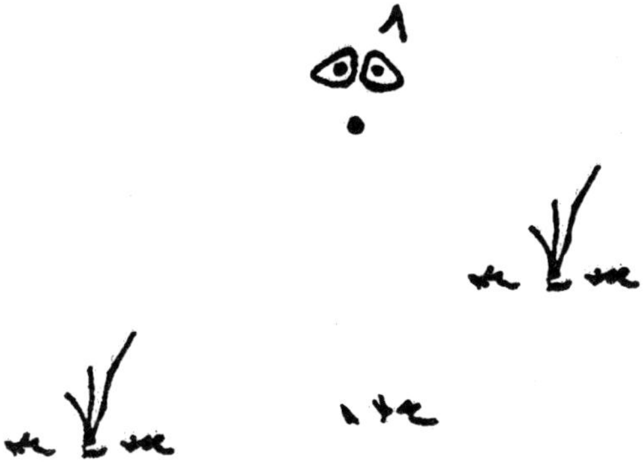

L'AUTEURE

 ROLLANDE BOIVIN a étudié la psycho-éducation, les arts, le théâtre et les lettres. Elle est aujourd'hui animatrice en littérature jeunesse et écrivaine. Elle a publié des textes dans des revues au Québec et en Europe et a reçu plusieurs prix et mentions. *Deux yeux jaunes* est son deuxième roman.

L'ARTISTE

GENEVIÈVE CÔTÉ a d'abord été une artiste autodidacte avant d'entreprendre des études en arts visuels à l'Université Laval. Elle a participé à de nombreuses expositions à Matane, Québec et Montréal. Elle travaille la sculpture, la peinture et le collage.

AUTRE OUVRAGE DE L'AUTEURE

L'oiseau de Malika, Le Loup de Gouttière, Québec, 1999.

DANS CETTE COLLECTION

 6 ans et plus

  7 ans et plus

   9 ans et plus